Cuisine du **Japon**

Des recettes rapides, simples et délicieuses à préparer chez soi

Cuisine du Japon

SHUNSUKE FUKUSHIMA

soline
éditions

Recettes : Carol et Shunsuke Fukushima
Texte d'introduction : Angus Cameron

Édition originale :
© Copyright 2001 Lansdowne Publishing Pty Ltd,
Sydney NSW 2000, Australie

Sous la direction de Deborah Nixon
Photographies : Louise Lister
Stylisme : Suzie Smith
Conception : Robyn Latimer
Édition : Judith Dunham
Direction de la fabrication : Sally Stokes
Coordination : Alexandra Nahlous

Édition française :
© 2003 Éditions Soline, Courbevoie, France

Adaptation française : Marie-Line Hillairet,
avec le concours de Nicolas Blot
Réalisation : Philippe Brunet – PHB

ISBN : 2-87677-478-X
Dépôt légal : juin 2003

Imprimé à Singapour

Sommaire

Introduction

La première image d'une leçon de cuisine qui me reste en mémoire est celle d'un très jeune garçon accroché aux jupes de sa mère qui préparait les repas dans la cuisine familiale ; émerveillé, je la regardais utiliser les différentes techniques avec grâce et aisance. Chaque repas était sublime. Quand j'ai ouvert mon premier restaurant, l'influence de ma mère, ses idées et son inspiration ont joué un rôle déterminant dans mes créations culinaires.

La cuisine japonaise ne présente aucune difficulté. Ce livre fournit au cuisinier amateur un vaste assortiment de recettes et de mets qui lui permettra d'aborder sans appréhension la cuisine japonaise et d'expérimenter des créations personnelles au gré de son imagination.

Les recettes de ce livre montrent combien il est facile de cuisiner japonais chez soi, qu'il s'agisse de préparation ou de présentation. Les plats élaborés que vous avez pu goûter dans les restaurants ne constituent pas l'alimentation quotidienne des Japonais ; ils ont pour vocation d'épater le client dans le décor bien particulier d'un restaurant. Ils sont le résultat de nombreuses années d'apprentissage et de pratique dans des écoles spécialisées disséminées à travers le pays, où les futurs chefs sont formés aux traditions, aux techniques et aux subtilités de la présentation. Libre à vous d'accéder à un tel degré de raffinement et d'excellence. Sachez cependant que la nourriture japonaise, destinée à ravir les yeux autant que le palais, peut vous régaler à votre propre table sous des dehors moins élaborés mais tout aussi appétissants.

Histoire et géographie

Le Japon se compose de quatre îles principales : Honshu, Hokkaido, Shikoku et Kyushu, et de milliers de petites îles dont le climat varie de subarctique au nord à subtropical au sud. Pays montagneux, le Japon est aussi une des régions du monde où l'activité volcanique est la plus importante. Malgré des forêts luxuriantes et de fortes pluies durant toute l'année, 16 % seulement des terres sont consacrées à l'agriculture. Les Japonais cultivent surtout le riz, tradition héritée de la Chine autour de 300 av. J.-C. Le riz est une denrée vénérée au Japon et les produits de la mer occupent une place prépondérante dans l'alimentation des quelque 125 millions d'habitants de ce pays.

Les ancêtres des Japonais sont venus de Chine via la Corée actuelle. Entre les VIe et VIIIe siècles apr. J.-C., la culture japonaise a emprunté, adapté et forgé son identité à partir des modèles chinois. Les idéogrammes chinois ont constitué les fondements de la langue écrite. Les moines bouddhistes ont introduit leur religion ascétique, les arts martiaux, les baguettes, le soja et le thé. La musique chinoise a trouvé sa place à la cour des empereurs du Japon ; l'art, l'architecture et la poterie chinoises ont également laissé leur empreinte dans tout le pays. Même le nom japonais du pays, « Nippon », vient du chinois « tai nyih pung kok » signifiant « grand royaume du Soleil-Levant ». Le nom actuel de Japon nous vient de Marco Polo, le célèbre navigateur, qui a transcrit le nom chinois en « chipango », plus tard devenu Japon.

L'histoire culinaire

Le Japon ancien, en proie à une pénurie naturelle d'ingrédients crus, était dans l'incapacité de reproduire l'incomparable diversité de la cuisine chinoise. Lorsque les relations avec la Chine cessèrent, vers 790 apr. J.-C., à la chute de la dynastie Tang en Chine et à l'avènement de l'ère Heian au Japon, la culture japonaise connut son âge d'or. On créa un protocole élaboré destiné à gouverner presque tous les aspects de la vie sociale, dont la présentation de la nourriture qui restait simple et naturelle mais abondante.

Quand les samouraïs vinrent au pouvoir, durant l'ère Kamakura (1185-1333), une nouvelle tradition alimentaire vit le jour qui modifia les rituels solennels pratiqués par la noblesse. Aux XIVᵉ et XVᵉ siècles, les samouraïs, seigneurs de guerre féodaux, introduisirent leur propre culture alimentaire appelée « kaiseki », du mot chinois signifiant « lieu de réunion ». Tandis que la cuisine de la classe militaire au pouvoir était caractérisée par de grandes quantités de nourriture disposées au milieu d'une kyrielle d'ornementations, la culture kaiseki supprima les plats présentés à des fins uniquement esthétiques, omit les plats froids et leur substitua des aliments de grande qualité destinés à être mangés sur-le-champ. Les plats froids reparurent ultérieurement pour être consommés tels quels, c'est-à-dire froids.

La tradition alimentaire kaiseki reste inextricablement liée à la dégustation et à la cérémonie du thé. Le thé compressé en briques arriva au Japon en provenance de Chine au VIIIᵉ ou au IXᵉ siècle, époque où il fut l'objet d'un engouement éphémère de l'élite dominante. Il fallut attendre la fin du XIᵉ siècle pour que le thé vert en poudre et la cérémonie du thé deviennent des éléments essentiels de la culture japonaise. Tout d'abord, seules les friandises étaient servies avant le thé, à l'occasion de rassemblements informels appelés « chakai », mais le XVIᵉ siècle vit l'émergence du « cha kaiseki » (précurseur de la nouvelle cuisine et de la cuisine minceur occidentales), une cuisine destinée à être servie pendant le « chaji », la cérémonie du thé. En accord avec la frugalité zen, ces aliments préparés le plus simplement possible, de façon à ne pas travestir leur goût naturel, étaient proposés avant le thé et dans des proportions qui laissaient aux convives le loisir d'apprécier le thé à venir.

Le régionalisme

Toutes les cuisines nationales développent des spécialités régionales : la cuisine japonaise ne fait pas exception. Même si les moyens de transports actuels permettent d'acheter les ingrédients régionaux saisonniers dans tout le Japon, les méthodes de cuisson et le goût pour des aliments spécifiques persistent. Il en est ainsi sur l'île d'Okinawa, dans le sud de l'archipel. Les plats cuisinés à Okinawa, de saveur plus forte et plus épicée que ceux de la cuisine japonaise traditionnelle, témoignent d'une grande influence chinoise. Comme en Chine, le porc est un ingrédient essentiel et toutes les parties de l'animal sont utilisées. Les fruits de mer sont omniprésents ainsi que les fruits et légumes tropicaux. Le sucre noir et l'awamori, une liqueur de riz évoquant le cognac, sont des ingrédients communément usités.

Dans la péninsule de Noto, sur la côte occidentale de l'île d'Honshu, on trouve parmi les plats saisonniers des huîtres sauvages en juillet, des crevettes suaves en automne et en hiver, des champignons matsutake provenant des régions montagneuses de Noto et Yamshiro en octobre et novembre. Les limandes à queue jaune pour les sahimi arrivent en décembre dans les ports de Nanao et Ushitsu sur la mer du Japon, et cela depuis quatre cents ans.

Le chanpon est une célèbre spécialité locale de Nagasaki, sur l'île de Kyushu. Ce plat se compose de porc, de calmars, de crevettes, d'huîtres et de poisson frits dans le saindoux avec des légumes et servis dans un bol de nouilles chinoises et de soupe à base de poulet et de porc. Au mois de mai à Hakusan, également sur la côte ouest de Honshu, les familles vont chercher des légumes et des fougères dans les montagnes d'Ishikawa.

La cérémonie du thé

Le « chanoyu », la cérémonie du thé japonaise, était à l'origine un rituel bouddhiste, introduit au Japon au XIe siècle par les Chinois. Les moines bouddhistes jugeaient que le thé vert, à forte teneur en caféine, incitait mieux à l'illumination que la méditation. Les rituels associés à la cérémonie devinrent de plus en plus élaborés et raffinés ; à partir des XVe et XVIe siècles, ils donnèrent lieu à une véritable forme d'art pratiquée à la cour impériale. Les maîtres de thé décidaient du nombre de participants, de l'emplacement des récipients et des ustensiles ainsi que de l'architecture et de la décoration de la salle de thé. Ces rituels, toujours en vigueur aujourd'hui, sont surtout pratiqués dans les temples zen, mais la cérémonie du thé reste une activité sociale importante dans la société japonaise contemporaine.

Au début de la cérémonie, qui peut durer plusieurs heures si elle fait partie d'un repas élaboré, le maître ou la maîtresse de maison nettoie la cuiller à thé, la boîte à thé et la théière avec une serviette en soie (fukusa). La théière est ensuite lavée à l'eau bouillante, puis l'officiant prélève la poudre de thé vert avec une longue cuiller en bambou et la verse dans la théière. Il verse ensuite de l'eau chaude mais non bouillante sur la poudre de thé. Le liquide est battu dans la théière jusqu'à formation d'une écume. Enfin, le bol de thé est présenté gracieusement, avec d'élégants gestes rituels, à la personne qui va le déguster.

L'alimentation japonaise moderne

Les contacts de plus en plus nombreux avec l'Occident et le développement du tourisme ont incité les Japonais à essayer les cuisines étrangères ou à modifier leurs plats traditionnels pour introduire des éléments exotiques. Les modes culinaires fluctuent beaucoup mais les Japonais apprécient surtout les cuisines française, italienne, chinoise et coréenne. Quant aux jeunes, ils raffolent des hamburgers et de la nourriture proposée par les chaînes de «fast-food» d'inspiration américaine.

Deux mots servent à désigner les grandes catégories d'aliments disponibles aujourd'hui au Japon. «Washoku» fait référence à la cuisine japonaise traditionnelle, «wa» signifiant «style japonais» et «shoku» nourriture. Les repas washoku se composent d'un assortiment de petits plats superbement présentés, dont la majorité sont à base de fruits de mer. «Yoshoku» fait référence à la cuisine non japonaise, «yo» signifiant le «style occidental». Les mets chinois appelés «chuka», souvent proposés en version japonaise, constituent une forme de cuisine familiale très populaire. Il s'agit généralement d'une adaptation du plat original chinois, avec par exemple des nouilles ramen qui proviennent de Chine, particulièrement appréciées lorsqu'elles sont accommodées dans des potages.

À la maison, on privilégie les aliments simples. Le matin, les Japonais tendent à délaisser le petit déjeuner traditionnel composé de riz, de miso et de plusieurs accompagnements au profit de diverses variétés de pains japonais. Au déjeuner, les bentos (sortes de boîtes-repas) sont très appréciés, surtout s'ils contiennent des onigri (boulettes de riz farcies) ; les pizzas à pâte fine ou les pâtes font également de nombreux adeptes. Un dîner typique se compose de riz et de soupe au miso, d'un plat principal et de plusieurs accompagnements – légumes, salades ou pickles. Les Japonais pensent qu'il faut manger une trentaine d'aliments différents chaque jour, chose relativement aisée car beaucoup de plats japonais nécessitent quatre ingrédients ou plus.

Les divers composants d'un repas sont servis dans de petits plats individuels destinés à chaque convive ; les aliments sont préparés de telle manière qu'ils conservent leur couleur, leur texture et leur aspect d'origine. Les changements de saison s'expriment à travers la vaisselle, le choix des ingrédients et la méthode de cuisson. Selon le type de plat, on mange avec des baguettes – une élégante adaptation du modèle chinois – ou des couverts occidentaux.

La viande

Les oiseaux et la volaille ont jadis fait partie de l'alimentation japonaise ; le porc et le bœuf, eux, ne sont apparus qu'il y a environ cent cinquante ans, quand le Japon s'est ouvert au monde occidental. Introduite par les explorateurs et les missionnaires portugais et hollandais, la viande était jusqu'alors une denrée méprisée par les Japonais, qui la considéraient comme une bizarrerie purement occidentale. Sa consommation s'est progressivement étendue au pays entier à partir des villes portuaires. Aujourd'hui, le bœuf est très prisé et fort coûteux. Le bœuf de Kobé se distingue des autres variétés par ses délicates marbrures, résultat de soins attentionnés durant toute la vie de l'animal ; il est d'ailleurs considéré comme le meilleur du monde.

Le tempura (beignets)

Le tempura, legs culinaire occidental le plus durable, est une méthode de friture des fruits de mer et des légumes. Introduite par les Portugais au XVIᵉ siècle, elle devrait son nom au mot portugais « temporas » signifiant carême et serait fondée sur la pratique catholique consistant à faire frire du poisson le vendredi. À la fin du XIXᵉ siècle, les légumes ou fruits de mer tempura constituaient la nourriture de restauration rapide préférée des Japonais ; ils sont aujourd'hui devenus synonymes de cuisine japonaise, sans véritables équivalents à l'étranger.

Les aliments phares du Japon sont toujours le riz et le poisson, avec la sauce de soja (shoyu). La cuisine japonaise traditionnelle repose essentiellement sur les fruits de mer, mais les légumes sont de plus en plus appréciés, de même que les repas végétariens. Les aliments sont préparés dans de l'eau bouillante ou du bouillon (dashi), pochés, blanchis ou mijotés. La cuisine japonaise doit ses vertus diététiques aux faibles proportions de matière grasse et d'huile utilisées dans sa préparation. Le sel est peu employé, hormis dans le miso et la sauce de soja, et les bouillons sont généralement dégraissés.

Sushi et sashimi

Le poisson et les fruits de mer sont considérés comme des aliments sains, et nous devons un grand merci aux Japonais pour avoir exporté leurs sushi et sashimi dans nos contrées. Il existe deux principales variétés de sushi, les nigiri-zushi (pains de sushi) et les maki-zushi (sushi roulés). Vraisemblablement originaires d'Edo (ancien nom de Tokyo), les nigiri-zushi se composent d'une bouchée de riz à sushi (riz vinaigré) tartiné d'un peu de pâte de wasabi (raifort japonais) et garni de fruits de mer émincés. Le poisson et le calmar sont servis crus alors que le poulpe et les crevettes sont cuits au préalable. L'omelette constitue aussi une forme de garniture, au même titre que les œufs de saumon ou l'oursin ; elle est maintenue en place avec un ruban d'algue nori.

Les maki-zushi doivent leur appellation au makisu, le tapi en bambou utilisé pour rouler ce type de sushi. Étalez une couche de riz à sushi (riz vinaigré) sur une feuille d'algue nori et garnissez de divers ingrédients – thon, crabe, gingembre, lanières d'omelette, de tofu ou de concombre. Les maki-zushi tendent à être moins chers que les nigiri-zushi car ils renferment moins de fruits de mer.

Les sashimi sont de fines tranches de poisson ou de fruits de mer sans riz. La croyance japonaise stipulant que les fruits de mer doivent être consommés frais et crus, ceux-ci sont tous servis crus, excepté le poulpe qui est bouilli au préalable. Impossibles à émincer, les huîtres ne sont jamais servies en sashimi. La préparation de certains sashimi nécessite parfois la dextérité et l'expérience d'un chef qualifié, en particulier pour l'entretien des couteaux, toujours de première qualité. En général, les sahimi se dégustent au début du repas, accompagnés d'une sauce à tremper au wasabi ou au soja.

Le teppanyaki

Le teppanyaki est une forme de cuisine japonaise qui gagne en popularité dans les pays occidentaux, en particulier aux États-Unis. Littéralement, le mot désigne un aliment «grillé sur une plaque en fer brûlante». Il convient cependant de différencier le style de cuisson teppanyaki japonais de son homologue occidental.

La mode de cuisson teppanyaki aurait été inventé au XVIIIe siècle par des Japonais ayant émigré aux États-Unis. Confrontés à des cuisines assez différentes de celles auxquelles ils étaient habitués dans leur pays d'origine, il adoptèrent le gril comme ustensile de cuisson, un moyen simple de préparer les aliments frais en un minimum de temps.

Outre le fait que la cuisson teppanyaki produit un repas japonais des plus sains, sa popularité en Occident tient beaucoup au brio du chef qui prépare le repas. Au Japon, le chef a pour simple fonction de préparer et servir les aliments. En Occident, la cuisson prend un caractère aussi théâtral que la préparation des aliments, parfois plus. Après avoir rassemblé et mélangé avec extravagance les ingrédients sur un grand gril métallique, pour le plus grand plaisir des clients, les chefs teppanyaki se font une spécialité de jongler avec leurs ustensiles de cuisine. Rien n'est plus applaudi à la fin de la cuisson qu'un grand couteau ou un fendoir lancé dans les airs et récupéré dans la toque du chef.

Servir un repas japonais

Au Japon, la nourriture doit être un régal des yeux comme du palais. Le choix infini d'ustensiles pour servir et manger transforme le plus modeste des repas en un véritable banquet. Dans les cultures occidentales, les couverts et la vaisselle sont généralement vendus en lots assortis, ce qui est rarement le cas au Japon où chaque ustensile peut avoir une texture ou un motif différent, un usage ou une couleur saisonniers.

La vaisselle japonaise, notamment les assiettes carrées et rectangulaires ainsi que tous les petits bols à soupe et à garniture, est disponible dans les supermarchés asiatiques et les boutiques spécialisées ; vous pourrez ainsi composer une gamme attrayante de récipients. Les dîners sont généralement servis dans une série de petits plats, avec du riz ou des plats collectifs, comme le sukiyaki, posés au centre de la table afin que les convives se servent eux-mêmes ou soient servis par leur hôte. Pour ajouter une note d'authenticité toute japonaise à votre repas, pensez à composer votre dîner d'un nombre de plats impairs – les nombres impairs sont considérés comme positifs dans le système du yin et du yang. Si vous proposez du saké, chauffez-le dans un pichet (tokkuri) et servez-le dans de petites tasses en porcelaine (sakazuki).

Les baguettes japonaises ont des extrémités plus longues et plus pointues que les baguettes chinoises. Celles que l'on utilise à la maison ou au restaurant sont en bois laqué ou en bambou. On trouve des baguettes jetables dans les restaurants bon marché et les bentos (boîtes-repas). L'usage des baguettes, qui nécessite une certaine pratique, demande de préparer la nourriture sous la forme de bouchées aisément maniables. Divers modèles de baguettes sont en vente dans les supermarchés asiatiques.

Au Japon, l'ordre et le nombre des plats varie entre la maison et le restaurant. Au déjeuner, le bento (boîte-repas) remplace avantageusement les plats préparés proposés par les chaînes de restauration rapide. En Occident, un repas normal commence généralement par des entrées ou un hors-d'œuvre puis se poursuit avec un plat principal et se termine par un dessert. L'approche japonaise est comparable mais elle se fonde sur une séquence composée d'aliments légers, de mets plus nourrissants puis de riz. Le riz et la soupe ou le poisson frais sont suivis d'un mets grillé, d'un mets mijoté, de pickles pour rafraîchir le palais, puis d'un mets frit, de pickles légers et de riz. Les amateurs de saké procèdent de manière parallèle : saké sec, saké doux, puis saké sec accompagné d'une série de mets légers. Lorsque vous recevez des invités chez vous pour un repas japonais, au lieu d'imiter les subtilités d'un repas de restaurant kaiseki, choisissez de servir tous les plats en même temps et en petites quantités. Il est tout à fait poli de redemander une deuxième tournée de riz et de soupe comme de siroter du saké entre les plats, sauf après le dernier plat de riz. Terminez le repas par du thé vert et des fruits frais.

L'étiquette : ce qu'il faut faire et ne pas faire

Dites itadakimasu (littéralement « je mangerai et boirai ») au début d'un repas et gochiso-sama (« tout était délicieux ») à la fin.

Portez les bols de riz ou de soupe à hauteur de votre bouche pour en vider le contenu. Cela vous évite de faire tomber de la nourriture et, dans le cas d'une soupe, vous permet de boire directement au bol.

Mangez vos nouilles à grand bruit.

Trempez les sushi dans la sauce qui les accompagne avec les doigts ou les baguettes.

Acceptez une seconde portion de riz ou de soupe en tenant votre bol des deux mains et placez-le sur le plateau ou la table avant de commencer à manger.

Mangez une cuillerée de riz après avoir mangé une bouchée d'un plat.

Posez vos baguettes sur le porte-baguettes quand vous ne vous en servez pas.

Ne commencez pas à manger avant que tout le monde soit servi.

N'utilisez pas vos baguettes pour déplacer les plats.

Ne pointez pas vos baguettes dans la direction de quelqu'un et ne les agitez pas en l'air.

N'utilisez pas vos baguettes pour choisir les morceaux qui vous plaisent dans les plats.

Ne piquez pas les aliments avec vos baguettes.

Ne prenez pas un plat avec la main qui tient les baguettes.

Ne laissez pas vos baguettes piquées à la verticale dans le riz.

Matériel

La préparation des plats japonais nécessite peu d'ustensiles spéciaux. Le matériel de base comprend un autocuiseur à riz, un couteau affûté, une planche à découper, des baguettes japonaises (les hashi ont des bouts pointus alors que les baguettes chinoises ont des bouts émoussés), un tapis en bambou (makisu) pour rouler les sushi et une mandoline japonaise pour râper et émincer les ingrédients.

1. Tapis en bambou

Bols et matériel

2. Bols à sauce carrés ou rectangulaires
3. Bols à mélanger en acier inoxydable
4. Réchaud à gaz portatif
5. Baguettes
6. Éventail (uchiwa)

Râpes

7. Râpe en porcelaine
8. Râpe en acier

Couteaux et ustensiles de découpe

9. Fendoirs : un grand et un petit
10. Couteaux à découper
11. Couteau tous usages
12. Couteau à sashimi
13. Couteau à légumes
14. Emporte-pièce à légumes
15. Planches à découper en bois

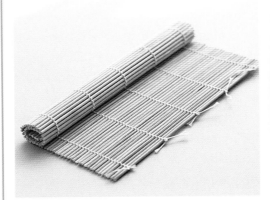

1. Tapis en bambou

2. Bols à sauce carrés ou rectangulaires

3. Bols à mélanger en acier inoxydable

4. Réchaud à gaz portatif

5. Baguettes

6. Éventail

7. Râpe en porcelaine

8. Râpe en acier

9. Fendoirs, un grand et un petit

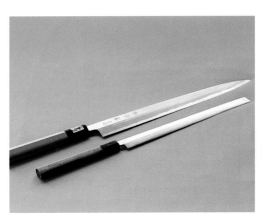

10. Couteaux à découper

11. Couteau tous usages

**12. Couteau à sashimi
(pour lever les filets)**

13. Couteau à légumes

14. Emporte-pièce à légumes

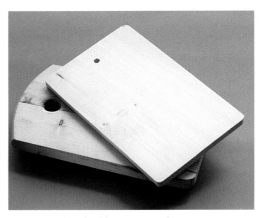

15. Planches à découper en bois

Poêles

1. une grande sauteuse
2. une poêle à omelette carrée

Éplucheurs et ustensiles

3. Éplucheurs
4. Mandoline
5. Écailleur
6. Pinces

Cocottes et cuiseurs

7. Étuve en bambou
8. Donabe japonais (récipient en terre cuite, voir aussi glossaire page 122)
9. Autocuiseur à riz (rice cooker)
10. Wok

Cuillers

11. Cuiller à soupe
12. Cuiller à pâtes/nouilles
13. Passoire
14. Écumoire métallique pour friture
15. Spatule à riz en bois (shamoji)

1. Grande sauteuse

2. Poêle à omelette carrée

3. Éplucheurs

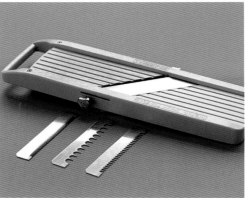

4. Mandoline

5. Écailleur

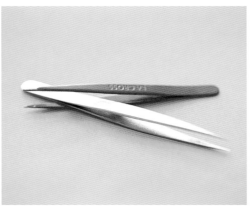

6. Pinces

7. Étuve en bambou

8. Donabe japonais

9. Autocuiseur à riz (rice cooker)

10. Wok

11. Cuiller à soupe

12. Cuiller à pâtes/nouilles

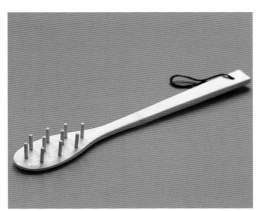

13. Passoire

14. Écumoire métallique pour la friture

15. Spatule à riz en bois (shamoji)

Ingrédients japonais

La cuisine japonaise n'est pas aussi compliquée que sa présentation le donne à penser. La liste ci-après passe en revue les ingrédients essentiels.

Aburaage et atsuage L'aburaage est du tofu frit fin qui est normalement mélangé à d'autres ingrédients. L'atsuage est une variété de tofu vendue en tranches épaisses et brièvement frite dans de l'huile extrêmement chaude jusqu'à ce que les tranches soient croustillantes en surface et moelleuses à l'intérieur. L'atsuage peut se manger seul avec une sauce de soja parfumée au gingembre ou dans une salade.

Azuki Petits haricots rouges particulièrement répandus au Japon (voir Azuki, page 115) Ils sont souvent sucrés et consommés en dessert avec du thé vert ou mélangés à de la crème glacée.

Bonite séchée en flocons Les flocons de bonite séchée, riches en minéraux, vitamines et protéines, sont utilisés dans le bouillon (pour les copeaux de bonite séchée, voir page 21).

Daidai Jus d'orange amère mélangé à de la sauce de soja pour préparer la sauce ponzu (voir Sauce ponzu, page 119).

Daikon Ce radis blanc géant mangé sous diverses formes pour faciliter la digestion est extrêmement répandu au Japon. Il est souvent râpé et consommé notamment avec de la sauce de soja (voir Usuzukuri, page 41) ou dans un dip accompagnant les beignets (tempura).

Aburaage

Azuki

Flocons de bonite séchée (Katsuobushi)

Daidai

Daikon

Dashi

Goma

Feuillets à gyoza

Hijiki

Gingembre

Katsuobushi

Dashi Bouillon japonais à consommer frais (voir Dashi, page 28). À base de varech séché (konbu) et de flocons de bonite séchée (katsuobushi), le dashi existe également en granulés.

Gingembre Rhizome charnu au goût prononcé du gingembre, une plante herbacée. Une fois débarrassée de sa fine peau marron clair, la chair du gingembre frais est râpée ou émincée. Le gingembre frais se conserve 2-3 jours au réfrigérateur.

Goma Ces graines de sésame existent en trois couleurs : noires, blanches et dorées. Les graines dorées ont un arôme puissant. La variété blanche est utilisée dans le goma dofu (tofu au sésame), composant important du végétarisme bouddhiste.

Feuillets à gyoza Minces ronds de pâte très fine (voir Bouchées au porc et aux légumes, page 99), à base d'œufs, servant à confectionner des bouchées. Comparables aux feuillets à raviolis (gow gee) chinois ou aux feuillets de pâte wonton.

Hijiki Riche en minéraux et en protéines, cette algue noire est vendue séchée (voir Salade d'algues hijiki, p. 57).

Katsuobushi (flocons de bonite séchée) La bonite séchée, fumée et salée, est couramment vendue sous forme de flocons. Elle existe aussi sous forme de blocs que l'on râpe en copeaux. Les flocons servent souvent à préparer des bouillons et des soupes ou à garnir les plats. Ils sont vendus sous vide dans des sachets en plastique.

Kome Bien que la consommation du riz (kome s'il n'est pas cuit) soit en régression au Japon, le riz à grains courts et ronds *Oryza sativa japonica* reste un aliment important, cuit et consommé sous diverses formes, de gohan (bouilli) à sekihan (riz rouge servi lors de cérémonies).

Konbu Ce varech est un des ingrédients principaux du dashi, lui-même composant essentiel d'un grand nombre de mets japonais. Algue d'eau froide qui pousse au large des côtes du nord du Japon, le konbu est séché avant d'être vendu sous formes de lanières ou plié. Il n'est pas nécessaire de le laver avant usage ; essuyez-le simplement avec un chiffon humide.

Matcha Forme de thé amer, riche en caféine (voir Glace au matcha, page 112) bu au Japon depuis le IXᵉ siècle. Cette poudre de thé vert est associée à la traditionnelle cérémonie du thé japonaise.

Mirin Alcool de riz très doux, de couleur ambrée, utilisé pour parfumer les aliments. Il renferme jusqu'à quatorze pour cent d'alcool, mais celui-ci s'évapore généralement à la cuisson.

Miso Pâte de fèves de soja, d'orge ou de riz fermentée et salée. Le miso est surtout utilisé dans les soupes au miso mais sert également à préparer des sauces pour les aliments grillés. Se conserve un an au réfrigérateur.

Moutarde La moutarde forte à l'anglaise est idéale pour les recettes japonaises. Pour confectionner cette moutarde, on mélange des graines de moutarde blanches et brunes.

Kome

Konbu

Matcha

Mirin

Miso

Moutarde (karashi)

Panko

Nori

Saké

Champignons shiitake

Shoyu

Shungiku

Panko Chapelure ou mie de pain blanc séchée et broyée. Existe en deux variétés, fine et grosse. Utilisée pour enrober les aliments destinés à la friture, elle donne un résultat plus croustillant que la chapelure vendue en Occident.

Nori Algue fine de couleur vert foncé. Le nori grillé sert à envelopper les sushi ; détaillé en fines lanières, il est aussi utilisé en garniture.

Saké Accompagnement essentiel des sushi, le saké ou alcool de riz est disponible dans une large gamme de prix et de goûts (extra-sec à doux). Il se boit chaud et, avec une teneur en alcool proche de seize pour cent, il est assez fort. Le saké de première qualité se savoure à température ambiante ou glacé.

Champignons shiitake Se vendent frais ou séchés. Les champignons frais sont délicieux en beignets (tempura) alors que les champignons séchés, qui se conservent indéfiniment, conviennent mieux à la préparation des bouillons.

Shoyu Bien qu'il existe six variétés de sauce de soja japonaise (shoyu), deux seulement sont couramment utilisées en cuisine : la sauce de soja foncée (koikuchi shoyu) et la sauce de soja claire (usukuchi shoyu). La sauce de soja foncée est également servie à table. La sauce de soja chinoise, plutôt sucrée, ne convient pas.

Shungiku Feuilles de chrysanthème utilisées en légume (voir Yu dofu, page 71). Elles ont un goût prononcé rappelant celui des épinards.

Su Il n'existe pas d'équivalent de ce vinaigre de riz japonais qui offre une grande diversité de saveurs. Optez pour une variété au goût léger et doux.

Sumiso Miso blanc fluidifié au vinaigre et utilisé en sauce (voir Nasu no dengaku, page 63).

Sauce tonkatsu Également connu sous le nom de usuta sosu, c'est une version moins relevée de la sauce Worcestershire.

Umeboshi Cette prune séchée marinée dans la saumure est consommée quotidiennement au Japon pour faciliter la digestion. De couleur rouge, elle se mange avec du riz ou bien rincée ou salée, ou même en beignet (tempura).

Wakame Algue verte séchée, élastique, extrêmement nutritive, utilisée dans la soupe au miso. Elle se vend séchée ou salée et doit être mise à tremper dans l'eau avant usage (voir Salade d'algues Wakame, page 57).

Wasabi Souvent appelé raifort japonais, le wasabi vert est vendu sous forme de poudre ou de pâte. Il accompagne les sushi ou les sashimi. Il est préférable de le consommer avec modération pour se familiariser avec son goût relevé.

Su

Sumiso

Sauce tonkatsu

Umeboshi

Wakame

Wasabi

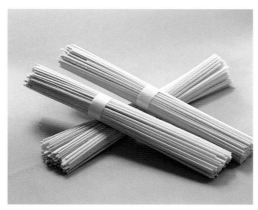

Chukasoba

Harusame

Shirataki

Soba

Somen

Udon

Chukasoba Autre nom des nouilles de blé chinoises ou ramen, utilisées dans l'ouest du Japon (voir Hiyashi chuba, page 67).

Harusame Nouilles transparentes à la farine de pomme de terre ou de patate douce qui peuvent se servir en ragoût (voir Yosenabe, page 84) ou frites.

Shirataki Nouilles fines faites avec de la racine de langue de diable (konnyaku), une plante proche du taro (voir Mizutaki, page 92).

Soba Nouilles à la farine de blé noir (sarrasin) souvent mélangée à de la farine blanche. Elles sont bouillies puis servies froides (voir Hiyashi chuba, page 67).

Somen Nouilles de blé qui se vendent sèches. Elles sont habituellement servies froides dans une salade estivale (voir Hiyashi chuba, page 67).

Udon Nouilles à la farine de blé rondes ou plates, fraîches ou sèches.

Ingrédients

1,100 kg de riz rond

1,25 l d'eau

12 cl de saké (facultatif)

Riz blanc

1. Mettez le riz dans une grande jatte et couvrez d'eau froide. Remuez le riz énergiquement avec les mains pour retirer toute impureté. Couvrez le riz de vos mains pendant que vous évacuez l'eau trouble. Répétez le processus deux fois. Au troisième rinçage, l'eau doit être claire (évitez de trop laver le riz afin de ne pas éliminer tout son amidon et ses substances nutritives et de ne pas briser les grains).

2. Transférez le riz dans une passoire et laissez-le s'égoutter 30 minutes en été et une heure en hiver.

3. Si vous utilisez un autocuiseur à riz *(rice-cooker)* électrique, versez le riz et l'eau dans l'appareil et mettez-le en marche. Le rice-cooker cuira le riz et vous préviendra quand il sera prêt. Si vous cuisez le riz sur un réchaud, mettez le riz égoutté et l'eau dans une marmite et couvrez hermétiquement. Portez à ébullition à feu moyen. N'ôtez pas le couvercle en cours de cuisson. Lorsque l'eau bout, augmentez la flamme et poursuivez l'ébullition 3 minutes. Si l'eau déborde, ajustez la flamme. Laissez bouillir 5 minutes à feu moyen. Réduisez la flamme et poursuivez la cuisson 5-10 minutes. Retirez du feu et ôtez le couvercle. Le riz doit avoir absorbé l'eau. Si vous souhaitez respecter la coutume pratiquée dans les bars à sushi, ajoutez du saké au riz avant de le retirer du feu ; cela fait gonfler le riz et rehausse sa saveur.

4. Posez un torchon propre sur la cocotte et laissez reposer 10-15 minutes pour terminer la cuisson.

Riz à sushi

Ingrédients

POUR LE VINAIGRE À SUSHI

12 cl de vinaigre de riz

1 cuillerée à café de sel

1 cuillerée à soupe de sucre

1 cuillerée à café de mirin

1. Mettez le vinaigre et le sel dans une petite casserole à feu doux et remuez jusqu'à dissolution du sel. Ajoutez le sucre et le mirin et continuez à tourner vivement jusqu'à dissolution du sucre. Ne laissez pas bouillir le mélange. Retirez du feu lorsque la casserole est brûlante au toucher.

2. Transférez le riz chaud dans un récipient à riz en bois ou un grand plat non métallique. Étalez le riz en une couche uniforme.

3. Ajoutez le vinaigre à sushi au riz en utilisant une spatule à riz ou une cuiller en bois pour le répartir sur toute la surface. Ne remuez pas le riz ; glissez plutôt la spatule ou la cuiller dans le riz puis soulevez et tournez.

4. Refroidissez le riz avec un éventail. Continuez à mélanger et à éventer jusqu'à ce que le riz soit parvenu à température ambiante. Le riz est prêt à être consommé. Ne le réfrigérez pas car il deviendrait dur. Couvrez d'un torchon humide jusqu'au moment de servir pour éviter qu'il ne se dessèche. Le riz à sushi se conserve 1 jour au plus.

Pour 1,25 kg environ

Ingrédients

1,1 l d'eau

1 carré de konbu (varech séché)
   de 10 cm

15 g de bonite séchée en flocons

SOUPES

Le dashi, ou bouillon premier, constitue la base de nombreuses soupes japonaises. Le dashi instantané en granules se reconstitue rapidement et son goût est excellent, mais le dashi préparé selon la méthode traditionnelle offre un résultat supérieur. La marque de dashi instantané préférée des Japonais est le « Aji No Moto hond-ashi ».

Dashi

Essuyez le konbu avec un torchon humide. Mettez-le à tremper dans une casserole d'eau pendant 2 heures. Placez la casserole sur feu vif et portez rapidement à ébullition. Au bout de 5 minutes, si le konbu est suffisamment mou, retirez-le de la casserole. S'il est encore dur, poursuivez la cuisson puis retirez-le. Portez à nouveau à ébullition. Écumez la surface. Retirez la casserole du feu et ajoutez un peu d'eau froide pour abaisser la température de l'eau avant d'ajouter les flocons de bonite. Ne remuez pas, laissez les flocons se déposer au fond de la casserole. Laissez reposer 3 minutes. Passez le bouillon au tamis fin ou dans une passoire tapissée d'étamine.

La soupe claire, très répandue au Japon, est une soupe simple et subtile à base de dashi. Elle se compose de nombreux ingrédients comme les fruits de mer et les légumes. Les ingrédients ne sont pas cuits dans la soupe mais placés dans des bols avant de servir la soupe qui reste claire. Sa saveur délicate s'accorde bien avec les sushi mais également avec d'autres types de plats japonais.

Soupe claire (Osuimono)

Dans une grande casserole, portez l'eau, le champignon shiitake, le sel et le mirin à ébullition. Ajoutez le dashi, remuez jusqu'à dissolution complète des granulés et retirez du feu. Variez la quantité de dashi selon votre goût personnel : si vous souhaitez un goût plus prononcé, ajoutez du dashi et, si vous préférez une saveur plus neutre, mettez-en moins. Retirez le champignon, émincez-le et remettez-le dans la soupe.

Mettez une crevette dans chaque bol. Répartissez le poisson, les dés de tofu, les champignons enoki, l'oignon nouveau et les feuilles de mitsuba dans les bols. Versez la soupe par-dessus et servez.

Pour 4 personnes

Ingrédients

- 1 l d'eau

- 1 petit champignon shiitake séché

- ½ cuillerée à café de sel

- ½ cuillerée à café de mirin

- ½ cuillerée à café de dashi instantané

- 4 crevettes moyennes cuites, veines sombres retirées, décortiquées et queues intactes

- 4 rectangles de poisson blanc (4 x 2 cm et ¼ cm d'épaisseur) bouillis

- 60 g de tofu détaillé en dés de 1 cm

- 30 g de champignons enoki

- 1 oignon nouveau (oignon vert/ciboule) émincé

- 12 feuilles de mitsuba (herbe aromatique) pour garnir

Ingrédients

1 l d'eau

6 cl de shiromiso (miso blanc)

$^1\!/_2$ cuillerée à café de dashi instantané

tofu souple, détaillé en dés
   si vous le souhaitez

2 oignons nouveaux (ciboule) émincés

1 cuillerée à soupe d'algue wakame plongée
   2 minutes dans l'eau chaude

Soupe au miso

Mettez l'eau dans une grande casserole et portez-la à ébullition. Mettez le miso dans une petite passoire au-dessus de la casserole et pressez-le du dos d'une cuiller en bois. Jetez le miso grenu resté dans la passoire. Portez la soupe à ébullition et ajoutez le dashi.

Répartissez le tofu, les oignons nouveaux et l'algue dans les bols et servez immédiatement.

Pour 4 personnes

Conseil

La soupe au miso est une soupe traditionnelle qui peut être servie en accompagnement de n'importe quel repas japonais. Elle est très appréciée au petit déjeuner. Libre à vous d'ajouter d'autres ingrédients – viande cuite, fruits de mer et légumes : clams (palourdes), homard, porc, daikon, oignon, aubergine et champignons enoki – dans les bols avant de les remplir de soupe et de servir. Les quantités varient selon le goût de chacun.

Ingrédients

125 g de filets de saumon émincés

$1/2$ cuillerée à café de sel

1 l d'eau

$1 1/2$ cuillerée à café de dashi instantané

800 g de riz rond cuit, réchauffé

$1/4$ de cuillerée à café de matcha

2 cuillerées à soupe d'algue wakame trempée
2 minutes dans l'eau chaude

2 oignons nouveaux (oignons verts/ciboule)
émincés

pâte de wasabi

Ce plat de déjeuner simple et rapide à préparer peut être confectionné avec un reste de riz du dîner de la veille. Le riz cuit se conserve très bien jusqu'au lendemain au réfrigérateur. Réchauffez-le dans un four à micro-ondes ou couvrez-le d'eau bouillante et égouttez-le immédiatement.

Soupe de riz au saumon (Shake chazuke)

Préchauffez le gril du four. Disposez les tranches de saumon en une seule couche dans un plat à gratin et saupoudrez de sel. Cuisez le saumon au gril pendant 2 minutes. Avec précaution, retournez les tranches à la spatule et poursuivez la cuisson environ 1 minute. Retirez du four.

Pendant ce temps, versez l'eau dans une casserole et portez-la à ébullition. Ajoutez le dashi et remuez jusqu'à dissolution complète des granulés. Retirez du feu. Répartissez le riz dans 4 bols, parsemez de matcha en poudre et garnissez d'algues wakame et de tranches de saumon grillé. Versez la soupe dans chaque bol et garnissez d'oignon nouveau. Accompagnez de pâte de wasabi.

Pour 4 personnes

Conseil
Pour une soupe encore plus délicieuse, ajoutez des feuilles d'épinards à l'eau durant l'ébullition.

Variantes

1. Soupe de riz à la prune (Ume chazuke)
Omettez le saumon. Ajoutez 1-2 cuillerées à soupe de pâte d'umeboshi ou 2-3 prunes umeboshi au contenu de chaque bol avant de servir.

2. Soupe de riz au vivaneau (Tai chazuke)
Omettez le saumon. Déposez 125 g de filets de vivaneau émincés sur le riz puis versez la soupe chaude qui cuira lentement le poisson.

Coupe en biseau

Coupe droite

Coupe ultra-fine pour poisson blanc

SUSHI ET SASHIMI

De nombreuses variétés de poissons et de coquillages peuvent se consommer cru en sushi ou en sashimi. Il est indispensable que les fruits de mer soient frais. Un poisson frais a les yeux brillants et clairs, sans trace de sang, les ouïes rose vif, la peau colorée, une odeur agréable, une chair résistante et ferme au toucher. Réfrigérez le poisson dès votre retour à la maison. Si vous avez le temps, nettoyez-le et détaillez-le en filets pour qu'il conserve sa fraîcheur initiale. Conservez-le au réfrigérateur 2 jours au maximum.

Habituellement, les sashimi et les sushi sont servis avec de la sauce tosa shoyu (voir recette page 119) et du wasabi. Pour préparer une sauce à tremper, ou dip, mélangez une petite quantité de pâte de wasabi avec de la sauce de soja.

Les Japonais prétendent qu'ils « mangent avec les yeux », c'est pourquoi la présentation joue un rôle très important. Les tranches de poisson sont posées à côté de petits tas de daikon ou de carottes détaillés en rubans. Des rondelles ou des quartiers de citron et des feuilles de shiso font de jolies garnitures et de délicieux accompagnements. Les plats de service sont décorés de feuilles et de fleurs en carotte, en daikon ou en concombre. Le wasabi peut être façonné en feuilles et les nervures dessinées à la pointe du couteau.

Les filets de poisson se découpent de différentes manières. La coutume veut que l'on serve une ou plusieurs variétés de poisson en groupes de trois ou cinq tranches, l'effet obtenu étant plus satisfaisant avec un nombre impair qu'avec un nombre pair.

Coupe en biseau : commencez avec un bloc de poisson rectangulaire large de 8 cm environ et épais de 4. Mesurez 1 cm et prélevez un morceau triangulaire pour obtenir un bord en biseau. Donnez à votre couteau la même inclinaison que le bord ainsi obtenu et coupez des tranches de 1/2 à 1 cm d'épaisseur. Quand vous avez terminé, il vous reste un bloc triangulaire.

Coupe droite : prenez un filet de poisson à bord droit et découpez-le à la verticale pour obtenir des tranches de 1/4 cm d'épaisseur. Coupez les tranches de thon un peu plus épaisses car la chair risque de se désintégrer si les tranches sont trop fines.

Coupe ultra-fine pour poisson blanc : mesurez 4 cm et prélevez un morceau triangulaire pour obtenir un bord en biseau. Coupez des tranches fines comme du papier en suivant l'inclinaison de la bordure en biseau.

Lever les filets en trois parties

Pour les sashimi et les sushi, achetez du poisson très frais. Trouvez un marché (ou supermarché) qui vend des fruits de mer pour sashimi et achetez le poisson et les coquillages en saison. Avant de commencer à couper le poisson, rincez et essuyez votre planche à découper. Préparez un bol d'eau pour mouiller votre couteau et essuyez-le, ou bien essuyez de temps en temps votre couteau avec un torchon humide. Maintenez le poisson en place avec des gants en caoutchouc si nécessaire ; tenez-le toujours par la tête ou la queue pour éviter d'abîmer le corps.

1. Lavez le poisson et écaillez-le si nécessaire. Avec un couteau bien affûté, incisez l'abdomen de la tête à la queue. Retirez et jetez les entrailles. Rincez le poisson à l'eau froide. Posez le poisson sur la planche, placez le couteau derrière les branchies et tranchez la tête.

2. Tenez fermement le poisson d'une main et commencez à couper le poisson de la tête vers la queue en effleurant l'arête centrale ; soulevez le filet à mesure que vous incisez. Réservez le filet. Retournez le poisson et découpez le second filet.

3. Retirez les arêtes des filets s'il y en a.

4. Vous devez obtenir trois morceaux : deux filets et un morceau comprenant le squelette et la queue. Jetez le squelette et la queue, conservez la chair.

Ingrédients

200 g de filets de thon pour sashimi

150 g de daikon détaillé en rubans, rincé et mis à tremper dans l'eau glacée jusqu'au moment de servir

½ petit piment rouge finement haché au mixeur et mélangé avec

4 cuillerées à soupe de daikon râpé

2 cuillerées à café de gingembre frais pelé et finement râpé

1 oignon nouveau (oignon vert/ciboule) émincé

fleurs sans pesticides ou carottes découpées en fleurs pour décorer

12 cl de sauce tosa shoyu (voir recette page 119)

Sashimi de thon
(Maguro no tataki)

Coupez les filets de thon en morceaux épais. Égouttez les rubans de daikon et répartissez-les dans 4 bols. Déposez les morceaux de thon sur le daikon en petit tas, puis garnissez de mélange daikon-piment, de gingembre râpé et d'oignon émincé. Décorez de fleurs ou de carottes découpées en fleurs. Servez avec de la sauce tosa shoyu ; chacun prélèvera du daikon râpé, du piment, du gingembre et des oignons nouveaux dans son bol pour les ajouter à la sauce.

Pour 4 personnes

Sashimi de bonite
(Katsuo no tataki)

Remplacez le thon par des filets de bonite. Enfilez chaque filet sur une longue brochette en métal. Allumez le réchaud et passez chaque filet au-dessus de la flamme pour le saisir (si vous n'avez pas de réchaud, préchauffez un gril de four et glissez les filets de poisson sous le gril ou bien cuisez-les sur un gril en fonte à feu vif). La bonite doit être à peine saisie et rester crue au centre. Plongez immédiatement les filets de bonite dans l'eau glacée pour stopper le processus de cuisson. Réfrigérez jusqu'au moment de servir.

Retirez les filets de bonite des brochettes et détaillez-les en dés de 2-3 cm. Égouttez les rubans de daikon et répartissez-les dans 4 bols. Posez la bonite en petit tas sur le daikon puis garnissez de mélange daikon-piment, de gingembre râpé et d'oignons nouveaux. Décorez de fleurs ou de carottes découpées en fleurs. Servez avec la sauce tosa shoyu : chacun prélèvera du daikon râpé, du piment, du gingembre et des oignons nouveaux dans son bol pour les ajouter à la sauce.

Pour 4 personnes

Ce poisson cru émincé est servi avec une sauce différente de l'habituelle sauce de soja additionnée de wasabi. Pour l'usu-zukuri, les tranches de poisson sont minces comme une feuille de papier, au point de voir les motifs de l'assiette par transparence (voir page 36).

Feuilles de poisson cru

(Usu-zukuri)

Mesurez 4 cm sur votre morceau de poisson et prélevez un morceau triangulaire pour obtenir un bord en biseau. Avec un couteau très affûté, découpez avec précaution des tranches fines comme du papier. Déposez-les sur une assiette ronde plate en les faisant se chevaucher partiellement pour former un cercle, comme les pétales d'une fleur. Sur chaque assiette, déposez un petit tas de daikon en rubans, une rondelle de citron, une cuillerée à café de gingembre râpé et la moitié du mélange daikon-piment. Disposez les rondelles d'oignon nouveau au centre.

Servez avec de la sauce ponzu.

Pour 2 personnes

Ingrédients

200 g de filets de poisson blanc pour sashimi (vivaneau, brème de mer, carangue)

50 g de daikon détaillé en rubans, rincés et mis à tremper dans l'eau glacée jusqu'au moment de servir, pour décorer

2 rondelles de citron

2 cuillerées à café de gingembre frais pelé et finement râpé mélangé à 2 cuillerées à soupe de daikon finement râpé

1 oignon nouveau (oignon vert/ciboule) émincé

1 cuillerée à soupe de sauce ponzu (voir recette page 119) pour tremper

Ingrédients

1 feuille de nori

110 g de riz à sushi cuit
(voir page 27)

une pincée de wasabi

1/2 avocat moyen coupé en deux
dans la longueur

2 bandes de saumon pour sashimi
(13 mm x 13 mm x 9 cm)

Sushi à l'avocat et au saumon (Ocean maki)

1. Mettez une feuille de nori sur un tapis en bambou, à 2-3 cm du bord proche de vous. Mouillez vos mains, déposez le riz à sushi sur la feuille de nori et étalez-le de manière uniforme en réservant une bande vierge de nori près du bord opposé. Bombez légèrement chaque extrémité de la plaque de riz pour que la garniture reste bien en place. Avec un doigt, déposez une fine ligne de wasabi au milieu du riz, dans la largeur.

2. Déposez les tranches d'avocat sur le wasabi.

3. Déposez les bandes de saumon de part et d'autre de l'avocat.

4. Soulevez le bord du tapis proche de vous, roulez vers le haut en pressant pour que les ingrédients soient bien tassés. Le tapis en bambou couvrant le rouleau, et la bande de nori toujours vierge de riz, maintenez le tapis en place et pressez pour raffermir le rouleau.

1

2

3

4

5. Soulevez le dessus du tapis pour sceller le rouleau avec la bande de nori. Assurez-vous que le rouleau est bien fermé.

6. Ouvrez le tapis et déplacez le rouleau de façon à aligner une de ses extrémités avec un des bords du tapis. Enroulez le tapis et aplatissez l'extrémité du rouleau en tapotant du bout des doigts. Répétez l'opération pour aplatir l'autre extrémité. Pressez à nouveau le rouleau entier avec le tapis pour le façonner en un rond, un carré ou une forme oblongue.

7. Avec un couteau bien affûté, coupez le rouleau en deux.

8. Coupez chaque moitié en deux, puis les quarts en deux afin d'obtenir huit sushi identiques. Procédez avec précaution pour que les sushi ne se déforment pas. Disposez les sushi sur une assiette et servez.

Pour 2 personnes en entrée

5

6

7

8

Ingrédients

2 feuilles de nori

50 g de riz à sushi cuit
(voir page 27)

une pincée de wasabi

4 bandes de thon pour sashimi
de 12 mm x 6 mm x 18 cm

Sushi au thon
(Tekka maki)

Coupez les feuilles de nori en deux dans la longueur. Posez une feuille
sur un tapis en bambou à environ 2,5 cm du bord le plus proche de vous.
Mouillez vos mains et prenez un quart de riz à sushi dans votre main droite.
Façonnez-le délicatement en une forme oblongue et posez-la au centre sur
le côté gauche de la feuille de nori. Avec les doigts, étalez le riz en une
couche uniforme en travaillant de droite à gauche et en réservant une bande
de nori vierge le long du bord opposé.

Du bout du doigt, étalez régulièrement un mince ruban de wasabi
au centre du rouleau de riz, dans la largeur. Déposez une bande de thon
sur le wasabi. Maintenez le thon en place avec les doigts et soulevez le bord
du tapis proche de vous avec les pouces. Roulez en suivant les indications
données pour les sushi à l'avocat et au saumon pages 42-43.

Les rouleaux obtenus sont découpés en 6 sushi. Avec un couteau très affûté,
coupez chaque rouleau en deux, puis posez les deux moitiés côte à côte
et coupez les deux rouleaux deux fois afin d'obtenir 6 sushi identiques.

Pour 4 personnes en entrée

Conseil
Pour ces petits sushi aux algues, vous avez le choix entre plusieurs
combinaisons de garnitures : concombre et graines de sésame, avocat,
omelette à sushi et umeboshi (prunes séchées marinées dans la saumure)
et saumon, concombre et crevettes.

Ingrédients

16 grosses crevettes, étêtées, décortiquées, queues intactes, veine sombre retirée

huile pour la friture

75 g de farine ordinaire

2 cuillerées à soupe de daikon finement râpé

1 cuillerée à café de gingembre pelé et finement râpé

sauce à tempura (voir recette page 120)

Pour la pâte à tempura :

1 œuf

25 cl d'eau glacée

150 g de farine

Beignets (tempura) de crevettes

Pratiquez 3 ou 4 incisions peu profondes sur l'abdomen de chaque crevette et pressez doucement avec la main pour les aplatir légèrement. Veillez à ne pas casser les crevettes. Battez l'œuf dans une jatte. Ajoutez l'eau et continuez à battre. Incorporez la farine mais ne mixez pas à l'excès. La pâte doit rester légèrement grumeleuse.

Versez l'huile (8 cm de profondeur) dans une grande sauteuse et chauffez-la jusqu'à 190 °C sur un thermomètre pour friteuse (lorsqu'un croûton plongé dedans grésille et devient doré). Versez la farine ordinaire sur une assiette. En plusieurs fois, enrobez les crevettes de farine puis plongez-les dans la pâte et glissez-les délicatement dans l'huile bouillante. Quand la pâte commence juste à figer, déposez un peu de pâte sur les crevettes avec des baguettes. Poursuivez la cuisson 2–2 ½ minutes jusqu'à ce que les crevettes soient dorées. Avec une écumoire métallique, retirez les crevettes de l'huile et égouttez-les sur du papier absorbant. Répartissez les beignets de crevettes sur 4 assiettes et, à côté, déposez une petite pyramide de daikon en rubans saupoudrée de gingembre râpé. Chaque convive ajoute son gingembre et son daikon à la sauce à tempura.

Servez immédiatement.

Pour 4 personnes

Explications détaillées pages 48-49.

BEIGNETS

Beignets (tempura) de crevettes

1. Dans une jatte, battez légèrement l'œuf. Ajoutez l'eau glacée et battez.

2. Incorporez la farine mais ne mixez pas trop. La pâte reste légèrement grumeleuse.

3. Versez l'huile (8 cm de profondeur) dans une grande sauteuse. Chauffez l'huile jusqu'à ce qu'elle atteigne 190 °C sur un thermomètre de cuisine (lorsqu'un croûton plongé dedans grésille et devient doré).

4. Enrobez les crevettes de farine.

1

2

3

4

5. Trempez les crevettes dans la pâte.

6. Plongez délicatement les crevettes dans l'huile bouillante.

7. Lorsque la pâte commence à figer, utilisez des baguettes pour déposer un peu plus de pâte sur les crevettes en cours de cuisson.

8. Poursuivez la cuisson 2–2½ minutes jusqu'à ce que les crevettes soient dorées. D'autres ingrédients prennent parfois plus de temps pour cuire. Retirez les beignets avec une écumoire et égouttez-les sur du papier absorbant. Servez avec la sauce à tempura.

5

6

7

8

Beignets (tempura) de légumes

Dans une jatte, battez l'œuf. Ajoutez l'eau et continuez à battre légèrement. Incorporez la farine sans trop mélanger. La pâte restera un peu grumeleuse. Versez l'huile (8 cm de profondeur) dans une grande sauteuse et chauffez jusqu'à ce qu'elle atteigne 190 °C sur un thermomètre pour friteuse (elle est à la bonne température lorsqu'un croûton plongé dedans grésille et devient doré).

Versez les 75 g de farine dans une assiette. Réservez la carotte et l'oignon. En plusieurs fois, enrobez les légumes de farine puis plongez-les dans la pâte à beignets. Pour une meilleure présentation, ne trempez pas complètement les haricots, les poivrons, les mange-tout et les asperges. Dans une jatte, mélangez les rondelles d'oignon et de carotte. En plusieurs fois, enrobez-les de farine puis trempez-les également dans la pâte.

Plongez-les délicatement dans l'huile bouillante. Laissez-les frire de 30 secondes à 2 minutes, jusqu'à ce qu'ils dorent. Retirez de l'huile avec une écumoire et égouttez sur du papier absorbant.

Répartissez les beignets de légumes sur 4 assiettes et, à côté, déposez une petite pyramide de daikon garnie de gingembre râpé. Chaque convive trempe son daikon et son gingembre dans la sauce à tempura. Servez immédiatement.

Pour 4 personnes

Ingrédients

Pour la pâte :

1 œuf

25 cl d'eau froide

150 g de farine

huile pour la friture

75 g de farine

1 grosse courgette coupée
en rondelles de 0,5 cm

1 oignon émincé

1 carotte émincée

250 g de pois mange-tout

1 aubergine détaillée en rondelles

1 poivron vert détaillé en lanières

8 champignons de Paris

1 racine de lotus en conserve émincée

8 haricots verts

4 pointes d'asperges

1 patate douce, émincée
et partiellement bouillie

1 cuillerée à café de gingembre pelé
et finement râpé

2 cuillerées à soupe de daikon finement râpé

sauce à tempura (voir recette page 120)

Ingrédients

Pour la pâte :

1 œuf

25 cl d'eau glacée

150 g de farine

huile pour la friture

75 g de farine

8 coquilles Saint-Jacques rincées
et coupées en deux si elles sont trop
grosses

12 morceaux de poisson blanc
(vivaneau, brème de mer
ou merlan) de 4 x 8 cm

2 « tubes » de calmars rincés et coupés
en deux dans la longueur, puis
dans la largeur en tranches de 4 x 8 cm

4 grosses huîtres ou 8 petites bien rincées,
ouvertes

2 cuillerées à soupe de daikon finement râpé

1 cuillerée à café de gingembre pelé
et finement râpé

sauce à tempura (voir recette page 120)

Beignets (tempura) de fruits de mer

Dans une jatte, battez l'œuf. Ajoutez l'eau et continuez à battre légèrement. Incorporez la farine sans trop mélanger. La pâte restera un peu grumeleuse. Versez l'huile (8 cm de profondeur) dans une grande sauteuse et chauffez jusqu'à ce qu'elle atteigne 190 °C sur un thermomètre pour friteuse (elle est à la bonne température lorsqu'un croûton plongé dedans grésille et devient doré). Versez les 75 g de farine dans une assiette. En plusieurs fois, enrobez les fruits de mer de farine puis trempez-les dans la pâte à beignets. Plongez-les délicatement dans l'huile bouillante. Quand la pâte est presque figée, utilisez des baguettes pour laisser tomber un peu de pâte supplémentaire sur chaque beignet en cours de cuisson. Laissez-les cuire 2-2 ½ minutes, selon la variété de fruits de mer, jusqu'à ce qu'ils soient dorés. Retirez-les avec une écumoire et égouttez-les sur du papier absorbant.

Répartissez les beignets de fruits de mer sur 4 assiettes et, à côté, disposez une pyramide de daikon râpé garnie de gingembre râpé. Chaque convive mélange le daikon et le gingembre râpé avec la sauce à tempura. Servez immédiatement.

Pour 4 personnes

et parsemez de graines de sésame.

Pour 4 personnes

Ingrédients

1 cuillerée à soupe d'huile

1 petite carotte débitée en allumettes

½ oignon jaune émincé

¼ de poivron vert émincé

10 mange-tout, coupés en deux si besoin

6 feuilles de chou chinois (napa)
   détaillé en lanières

125 g de germes de soja

1 cuillerée à café de sel

1 cuillerée à café de sucre

1 cuillerée à café de dashi instantané

1 cuillerée à soupe de mirin

Sauté de légumes
(Yasai itame)

Préchauffez un wok ou une grande sauteuse sur feu vif jusqu'à ce qu'il soit très chaud puis ajoutez l'huile. Ajoutez la carotte et l'oignon et faites-les revenir environ 2 minutes, jusqu'à ce qu'ils s'attendrissent un peu. Ajoutez le poivron et les mange-tout, puis le chou et les germes de soja. Faites revenir le tout jusqu'à ce que l'oignon et la carotte soient fondants, le chou et les mange-tout flétris. Ajoutez le sel, le dashi et le mirin. Laissez rissoler environ 3 minutes, jusqu'à ce que les saveurs se mélangent et que les légumes soient cuits à votre convenance. Servez brûlant.

Pour 4 personnes

Ingrédients

150 g de nouilles soba ou udon sèches

50 cl d'eau

6 cl de sauce de soja

6 cl de mirin

1 cuillerée à café de dashi instantané

4 grosses crevettes, décortiquées, veine
     sombre retirée, queues intactes

4 haricots verts équeutés

2 rondelles de poivron

pâte à beignets (voir recette pages 46-47)

2 pincées de fines lanières de nori
     pour garnir

Tempura soba

Portez à ébullition une grande casserole d'eau. Ajoutez les nouilles soba ou udon et remuez pour les empêcher de coller. Réduisez légèrement la flamme et laissez bouillir environ 5 minutes pour les nouilles soba et 10 minutes pour les nouilles udon (goûtez pour vérifier la cuisson). Égouttez les nouilles et rincez-les à l'eau froide pour arrêter la cuisson.

Mettez l'eau, la sauce de soja, le mirin et le dashi dans une casserole puis portez à ébullition. Retirez le bouillon du feu. Suivez les indications de la recette des beignets de crevettes et de légumes (pages 46, 48 et 51) ; égouttez-les bien sur du papier absorbant. Réchauffez les nouilles en les plongeant 1 minute dans l'eau bouillante. Servez les nouilles dans 2 bols et arrosez de bouillon brûlant. Disposez les beignets de crevettes et de légumes sur les nouilles. Garnissez de lanières de nori.

Pour 2 personnes

Ingrédients

150 g de nouilles udon sèches

50 cl d'eau

6 cl de sauce de soja

6 cl de mirin

1 cuillerée à café de dashi instantané

6 mange-tout

6 tranches de blanc de poulet cuit

4 feuilles de mitsuba (herbe aromatique)

2 feuilles de bok choy détaillées
     en morceaux de 3 cm

2 œufs

1 oignon nouveau (ciboule/oignon vert)
     émincé

Nouilles udon

Portez à ébullition une grande casserole d'eau. Ajoutez les nouilles et remuez pour les empêcher de coller. Réduisez la flamme et laissez bouillir une dizaine de minutes. Égouttez les nouilles et rincez-les à l'eau froide pour arrêter la cuisson. Mettez l'eau, la sauce de soja, le mirin et le dashi dans une casserole puis portez à ébullition. Retirez le bouillon du feu.

Répartissez les nouilles dans deux marmites, ajoutez le bouillon et portez à ébullition. Répartissez les mange-tout, le poulet, les feuilles de mitsuba et le boy chok dans les deux marmites et portez à ébullition. Pour empêcher les œufs de se casser en les mettant dans la marmite, cassez chaque œuf dans un bol puis laissez-le glisser dans la marmite. Couvrez et laissez frémir environ 3-4 minutes, jusqu'à ce que les œufs soient cuits. Retirez du feu, parsemez d'oignon nouveau et servez.

Pour 2 personnes

Ingrédients

12 grosses crevettes, têtes, carapaces
    et veines sombres retirées, queues intactes

sel et poivre

50 g de farine

125 g de panko (chapelure)

2 œufs légèrement battus

huile pour la friture

sauce tonkatsu ou mayonnaise pour tremper

quartiers de citron pour garnir

Crevettes panées
(Ebi furai)

Pratiquez 3 ou 4 incisions peu profondes sur l'abdomen de chacune des crevettes pour les empêcher de se recroqueviller à la cuisson. Poivrez et salez. Mettez la farine et le panko dans des assiettes séparées. Enrobez chaque crevette de farine. Plongez les crevettes dans l'œuf battu puis enrobez-les de panko en pressant bien.

Versez l'huile (8 cm de profondeur) dans une grande sauteuse. Chauffez l'huile jusqu'à ce qu'elle atteigne 190 °C sur un thermomètre pour friteuse (elle est à la bonne température lorsqu'un croûton plongé dedans grésille et devient doré). En plusieurs fois, glissez délicatement les crevettes dans l'huile bouillante. Faites-les frire 2-2 ½ minutes jusqu'à ce qu'elles soient dorées ; utilisez des baguettes pour les retourner en cours de cuisson. Retirez les crevettes avec une écumoire et égouttez-les sur du papier absorbant. Répartissez les crevettes panées sur 4 assiettes et garnissez de quartiers de citron. Servez avec de la sauce tonkatsu et de la mayonnaise.

Pour 4 personnes

Ingrédients

16 grosses coquilles Saint-Jacques
    sans leur corail

sel et poivre

75 g de farine

2 œufs légèrement battus

125 g de panko (chapelure)

huile végétale pour la friture

sauce tonkatsu et mayonnaise
    pour tremper

quartiers de citron pour garnir

Saint-Jacques panées
(Hotate furai)

Rincez les coquilles Saint-Jacques et préparez-les comme les crevettes panées.

Truites arc-en-ciel grillées (Nijimasu no shioyaki)

Ingrédients

- 4 truites arc-en-ciel de 375 g chacune environ, nettoyées, tête intactes
- sel
- 10 cl de sauce tosa shoyu (voir recette page 119)
- 4 cuillerées à soupe de daikon finement râpé
- 2 cuillerées à café de gingembre frais pelé et finement râpé

Rincez bien les truites sous le robinet d'eau froide. Parsemez de sel l'extérieur et l'intérieur de chaque poisson. Enrobez de sel la queue et la région des yeux pour qu'ils ne brûlent pas durant la cuisson. Préchauffez le gril du four. Placez les truites sur une plaque de four et faites-les griller environ 8 minutes, jusqu'à ce qu'elles soient à moitié cuites (Note : si vous les grillez sur un barbecue, couvrez-les pour qu'elles restent moelleuses et ne sèchent pas).

Retournez délicatement les truites à la spatule puis poursuivez la cuisson 7 minutes environ, jusqu'à ce qu'elles soient à point. Veillez à ne pas les faire trop cuire. Le temps de cuisson dépendra de la taille et de l'épaisseur des poissons. Pour vérifier la cuisson des truites, incisez une partie où la chair est épaisse. Transférez les truites dans des assiettes décorées d'une petite pyramide de daikon et de gingembre râpés. Servez chaud avec de la sauce tosa shoyu. Les convives mélangeront eux-mêmes le daikon et le gingembre pour les tremper dans la sauce.

Pour 4 personnes

Conseil
Vous pouvez suivre cette méthode pour cuire la plupart des poissons.

Ingrédients

400 g de filets de poisson blanc – vivaneau, par exemple

8 moules, grattées et ébarbées

8 palourdes ou clams, bien grattées

12 grosses crevettes, têtes, carapaces et veines sombres retirées, queues intactes

½ carotte émincée

150 g de daikon émincé

6 feuilles de chou chinois (napa) émincées

8 champignons shiitake frais

180 g d'épinards

2 tiges de shungiku (herbe aromatique)

4 oignons nouveaux (oignons verts/ciboule) détaillés en tronçons de 8 cm

300 g de tofu souple

1 l d'eau bouillante

1 cuillerée à café de dashi instantané

sauce nihaizu pour tremper (voir recette page 119)

8 cuillerées à soupe de daikon râpé mélangé à ½ piment rouge haché

2 oignons nouveaux (ciboule/oignons verts) émincés

60 g de nouilles harusame plongées 5 minutes dans l'eau bouillante puis égouttées

Ragoût de fruits de mer (Yosenabe)

Présentez le poisson, les coquillages, les légumes et le tofu de manière attrayante sur un grand plat de service. Posez-le sur la table. Les ingrédients cuisent dans une grande cocotte installée sur un réchaud portatif ou dans un wok électrique, également posé sur la table.

Remplissez la cocotte ou le wok aux deux tiers d'eau bouillante et ajoutez le dashi instantané. Portez le bouillon à ébullition. Dès qu'il bout, ajoutez les légumes fermes, et ensuite les fruits de mer, le poisson, les autres légumes, le tofu et les nouilles harusame en plusieurs fois. Les convives se servent eux-mêmes avec des baguettes lorsque les ingrédients sont cuits à leur convenance. Continuez à ajouter des ingrédients crus au bouillon à mesure que les ingrédients cuits sont consommés. Donnez à chaque convive un bol de sauce nihaizu additionnée du mélange daikon/piment râpés.

Pour 4 personnes

Ingrédients

125 g de sucre

12 cl de sauce de soja

1 cuillerée à café de mirin

2 cuillerées à soupe de bouillon
   de poulet ou d'eau

500 g de filet de porc détaillé
   en tranches fines (1 cm)

75 g de gingembre frais pelé
   et finement râpé

2 cuillerées à soupe d'huile végétale

2 oignons nouveaux (ciboule/oignons verts)
   émincés

1 cuillerée à café de graines
   de sésame, pour garnir

PORC ET BŒUF

Porc au gingembre
(Buta no shogayaki)

Dans une petite casserole à feu moyen-vif, mélangez le sucre, la sauce de soja, le mirin et le bouillon ou l'eau ; portez à ébullition, en remuant pour dissoudre le sucre. Retirez du feu et réservez.

Trempez les deux extrémités des tranches de porc dans le gingembre râpé. Réservez le gingembre restant. Chauffez l'huile dans une grande sauteuse à feu moyen-vif. Ajoutez le porc et faites-le revenir 3-4 minutes en le tournant une fois ; il doit avoir perdu sa couleur rosée. Ajoutez la sauce ainsi que le gingembre restant et portez à ébullition. Réduisez la flamme et laissez mijoter 1 minute. Retirez le porc de la sauteuse et répartissez-le dans 4 assiettes chaudes. Arrosez du reste de sauce s'il y en a. Garnissez d'oignons nouveaux émincés et parsemez de graines de sésame. Servez immédiatement.

Pour 4 personnes

Bouchées au porc et aux légumes (Gyoza)

Mettez le chou dans un grand saladier. Ajoutez le sel et remuez avec les mains en l'écrasant bien. Le sel a pour effet de faire sortir l'humidité du chou. Égouttez le chou le mieux possible. Ajoutez le reste des ingrédients et remuez pour bien mélanger.

Tenez un feuillet de pâte dans la main droite et déposez 1 cuillerée à café de farce au milieu. Ramenez les deux pans de pâte vers le milieu et fermez le paquet en faisant 4 ou 5 plis. Utilisez un peu d'eau si nécessaire pour coller les bords ensemble (congelez les bouchées que vous ne comptez pas manger avant de les faire cuire).

Dans une sauteuse antiadhésive, chauffez 2 cuillerées à soupe d'huile à feu moyen-vif. Ajoutez quelques gouttes d'huile de sésame. Placez les bouchées côte à côte dans la sauteuse et faites-les revenir 1 minute. Ajoutez de l'eau jusqu'à ce qu'elle arrive à mi-hauteur des boulettes. Couvrez et laissez cuire à feu moyen jusqu'à évaporation de l'eau. Retirez le couvercle, ajoutez 2 cuillerées à soupe d'huile et poursuivez la cuisson jusqu'à ce que le fond des boulettes soit doré.

Pour préparer la sauce, mélangez la sauce nihaizu, l'huile pimentée et les oignons nouveaux. Retirez les bouchées de la sauteuse et servez-les accompagnées de sauce à tremper.

Pour 10 personnes en entrée

Ingrédients

1/3 gros chou émincé

2 cuillerées à café de sel

500 g d'épaule de porc hachée

30 g de ciboulette aillée finement hachée

1 1/2 cuillerée à soupe de sucre

1 cuillerée à soupe de sauce de soja

2 cuillerées à soupe d'ail en poudre

1 cuillerée à soupe d'huile de sésame asiatique

2 1/2 cuillerées à soupe de gingembre frais pelé et râpé

1 cuillerée à soupe de saké

1 cuillerée à soupe de fécule de pomme de terre

60 feuillets à gyoza ou à raviolis

huile pour la friture

quelques gouttes d'huile de sésame pour la friture

POUR LA SAUCE À TREMPER

sauce nihaizu (voir recette page 119)

huile pimentée

2 oignons nouveaux (oignons verts/ciboule) émincés

Sashimi de bœuf
(Gyu sashi/Gyu tataki)

Ingrédients

250 g de filet de bœuf pour sashimi
(de qualité supérieure)

eau glacée

daikon, détaillé en fines lanières,
pour décorer

2 rondelles de citron

2 cuillerées à café de gingembre frais pelé
et finement râpé

2 cuillerées à soupe de daikon finement râpé

¼ de petit piment rouge haché et mélangé
avec du daikon râpé (ci-dessus)

1 oignon nouveau (ciboule/oignon vert)
finement haché

sauce ponzu (voir recette page 119)
pour tremper

Préchauffez un gril de four. Coupez le bœuf dans la longueur en bandes épaisses de 5 cm. Enfilez chaque bande sur une longue brochette métallique. Saisissez rapidement la viande sous le gril en la retournant pour qu'elle dore des deux côtés ; elle doit toujours être crue à l'intérieur. Plongez immédiatement la viande dans l'eau glacée pour stopper la cuisson. Réfrigérez au moins 30 minutes afin que la viande soit plus facile à émincer.

Découpez le bœuf en tranches fines d'environ 2-3 mm et disposez-les en éventail sur un plat. Pour décorer, déposez un tas de daikon en lanières au centre du plat ainsi que les rondelles de citron, le gingembre râpé, le mélange daikon/piment et les oignons nouveaux hachés. Servez avec la sauce ponzu. Vous pouvez ensuite ajouter du gingembre, du mélange daikon/piment et des oignons nouveaux à la sauce, à votre convenance.

Pour 2 personnes

Ingrédients

500 g de filet de bœuf dégraissé

25 cl de sauce de soja

150 g de sucre

1 cuillerée à café de mirin

2 cuillerées à soupe de bouillon de poulet

1 oignon nouveau (oignon vert/ciboule)
émincé

sauce teriyaki (voir recette page 120)

graines de sésame grillées pour garnir

Bœuf teriyaki

Coupez le filet de bœuf en 4 steaks identiques. Dans une petite casserole sur feu vif, mélangez la sauce de soja, le sucre, le mirin et le bouillon. Portez à ébullition, remuez pour dissoudre le sucre et laissez frémir une minute. Retirez du feu.

Préchauffez le gril du four et graissez une plaque de four. Grillez les steaks en saisissant rapidement les deux côtés puis cuisez-les à votre convenance. Retirez du four. Avec un couteau affûté, détaillez les steaks en tranches épaisses de 1 cm. Répartissez les tranches sur 4 assiettes. Nappez de sauce teriyaki et d'oignons nouveaux émincés. Parsemez de graines de sésame.

Pour 4 personnes

Ingrédients

POUR LA SAUCE

25 cl de sauce de soja

250 g de sucre

35 cl de bouillon de poulet

500 g de bœuf maigre détaillé
  en tranches extrêmement fines

250 g de nouilles shirataki cuites
  5 minutes dans l'eau bouillante, égouttées
  puis rincées à l'eau froide

200 g de tofu ferme grillé et coupé
  en tranches

1 gros oignon jaune émincé

oignons nouveaux (oignons verts/ciboule)
  coupés en tronçons de 8 cm

1/2 carotte coupée en fines rondelles

4 feuilles de chou chinois (napa), émincé

8 champignons de Paris

60 g de graisse de rognon de bœuf
  (facultatif)

4 œufs légèrement battus (facultatif)

Sukiyaki style kanto

Pour préparer la sauce, mélangez la sauce de soja, le sucre et le bouillon dans une petite casserole et portez à ébullition en remuant jusqu'à ce que le sucre soit dissous puis retirez immédiatement du feu.

Disposez les tranches de bœuf sur un grand plat de service en dessinant une fleur. Dressez les nouilles, le tofu et les légumes sur un autre grand plat. Posez les deux plats sur la table. Chauffez le pot à sukiyaki (une grande cocotte en fonte) sur un réchaud portatif installé également sur la table ou bien utilisez un wok électrique. Traditionnellement, la graisse de rognon sert à badigeonner l'intérieur du récipient avant de verser la sauce mais vous pouvez l'omettre si vous le souhaitez. Versez la sauce dans la cocotte ou le wok. Ajoutez les légumes fermes, puis les tranches de bœuf et les légumes plus tendres. Terminez en ajoutant le tofu, les nouilles et les légumes rapides à cuire. Les convives retirent les ingrédients à mesure qu'ils sont cuits à leur convenance et les transfèrent dans des bols ou assiettes individuels. Les œufs légèrement battus servent de sauce à tremper. Si la sauce devient trop forte, ajoutez de l'eau bouillante.

Pour 4 personnes

Note sur les œufs crus
La coutume veut que l'on trempe les ingrédients dans l'œuf battu, mais vous n'êtes pas tenu de le faire si vous n'aimez pas l'œuf cru ou si vous habitez une région ayant connu des cas de salmonellose.

Variante

Sukiyaki style kansai
Pour cette recette, on utilise les mêmes ingrédients que pour le sukiyaki style kanto mais la méthode de cuisson est différente.

Méthode
Chauffez le pot à sukiyaki et enduisez-le généreusement de graisse de rognon. Lorsqu'il y a environ 1 cuillerée à soupe de graisse au fond du pot, ajoutez les tranches de bœuf et saisissez-les des deux côtés. Poussez le bœuf sur le côté, ajoutez la sauce, les légumes, les nouilles et le tofu puis poursuivez la cuisson à votre convenance. Servez avec des œufs crus battus pour tremper.

Shabu-shabu

Pour préparer la sauce, mélangez tous les ingrédients dans un bol et remuez énergiquement jusqu'à obtention d'une pommade onctueuse.

Disposez les tranches de bœuf sur le plat en formant une fleur. Dressez le tofu, les nouilles et les légumes de manière attrayante sur un autre grand plat. Posez les deux plats sur la table où les ingrédients cuiront dans une grande sauteuse en fonte installée sur un réchaud portatif, ou bien dans un wok électrique.

Remplissez la sauteuse aux trois quarts d'eau et ajoutez le dashi instantané. Ajoutez les légumes fermes comme le daikon et la carotte. Ajoutez peu à peu le reste des légumes, les nouilles et le tofu. Trempez les tranches de bœuf séparément dans le bouillon brûlant ; chaque convive tient sa viande avec des baguettes et la trempe dans le bouillon. Cuisez-la seulement quelques minutes, juste assez longtemps pour qu'elle change de couleur. Si elle cuit trop longtemps, elle devient dure. Donnez à chaque convive un bol pour chaque sauce à tremper. Servez avec du riz.

Pour 4 personnes

Ingrédients

SHABUTARE – SAUCE À TREMPER

12 cl de pâte de sésame

12 cl de miso blanc

2 cuillerées à soupe de vinaigre de riz

2 cuillerées à soupe de mirin

2 cuillerées à soupe de sauce de soja

125 g de sucre dissous dans 6 cl d'eau bouillante

½ cuillerée à café d'ail en poudre

2 ou 3 gouttes d'huile pimentée ou plus si vous le souhaitez

½ cuillerée à café d'huile de sésame asiatique

500 g de bœuf maigre détaillé en très fines tranches

300 g de tofu souple

200 g de nouilles shirataki cuites 5 minutes dans l'eau bouillante puis égouttées et rincées à l'eau froide

8 champignons shiitake frais

6 feuilles de chou chinois (napa) grossièrement émincées

100 g d'épinards

4 oignons nouveaux (oignons verts/ciboule) détaillés en tronçons de 8 cm

1 petite carotte pelée et coupée en fines rondelles

150 g de daikon coupé en fines rondelles

1 cuillerée à café de dashi instantané

sauce nihaizu (voir recette page 119) pour tremper

riz vapeur pour servir

Ingrédients

6 œufs

200 g de sucre

15 cl de crème fraîche épaisse

15 cl de lait

1 cuillerée à café d'extrait naturel de vanille

1 cuillerée à café de matcha (thé amer)

Glace au matcha

Dans une jatte, battez les œufs et le sucre au batteur électrique jusqu'à obtention d'un mélange homogène. Incorporez la crème fraîche puis ajoutez le lait, la vanille et le matcha. Variez la quantité si vous le souhaitez. Transférez le mélange dans une sorbetière et mettez au freezer en suivant les indications du fabricant.

Pour 4 personnes

Ingrédients

1,1 l de crème glacée à la vanille de qualité supérieure

1 cuillerée à café de matcha

Glace au thé vert

Laissez légèrement ramollir la crème glacée afin de pouvoir incorporer le matcha.

Saupoudrez la crème glacée de matcha. Avec une grande cuiller en métal, incorporez le matcha à la crème glacée. Remettez la crème glacée au freezer pendant environ 2 heures.

Pour 6 personnes

Ingrédients

25 cl de dashi (voir recette page 28)

6 cl de sauce de soja

6 cl de mirin

Sauce à tempura

Mélangez tous les ingrédients dans une casserole et portez à ébullition sur feu vif. Retirez du feu et laissez refroidir avant de servir. Cette sauce se conserve 3 jours au plus au réfrigérateur.

Ingrédients

6 cl de shiromiso (miso blanc)

2 cuillerées à soupe de sucre

2 cuillerées à soupe de saké

2 cuillerées à soupe d'eau

1 ½ cuillerée à soupe de vinaigre de riz

2 cuillerées à soupe de moutarde forte

Sauce sumiso

Mélangez tous les ingrédients dans une casserole et portez à ébullition sur feu vif en remuant fréquemment. Retirez du feu et laissez refroidir avant de servir. Cette sauce se conserve 2 mois au plus au réfrigérateur.

Ingrédients

25 cl de sauce de soja

220 g de sucre roux

2 cuillerées à soupe de bouillon de poulet

1 cuillerée à café de mirin

Sauce teriyaki

Mélangez tous les ingrédients dans une casserole et portez à ébullition sur feu vif. Laissez frémir 5 minutes en veillant à ce que la sauce ne déborde pas. Servez chaud. Cette sauce se conserve 2 mois au plus au réfrigérateur.

Guide des poids et mesures

¼ de cuillerée à café 1,25 ml

½ cuillerée à café 2,5 ml

1 cuillerée à café 0,5 cl

1 cuillerée à soupe 1,5 cl (3 cuillerées à café)

Beurre

1 cuillerée à soupe 15 g

1,5 cuillerée à soupe 20 g

2 cuillerées à soupe 30 g

3 cuillerées à soupe 45 g

Tableau d'aide pour régler le thermostat du four

Ce tableau en degrés Celsius vous sera utile si vous possédez un four électrique. Pour les fours fonctionnant au gaz, ôtez 10 °C aux températures indiquées, ou consultez le guide d'utilisation de votre cuisinière. Les températures en dessous de 160 °C doivent être respectées quel que soit le mode d'alimentation de votre four.

Description °C thermostat

Description	thermostat
Four tiède 50 °C	therm. 1
Four très doux 50 à 110 °C	therm. 2
Four doux 110 à 170 °C	therm. 3 à 5
Four chaud ou moyen 170 à 230 °C	therm. 5 à 7
Four très chaud 230 à 280 °C	therm. 7 à 9
Four brûlant 300 °C	therm. 10